MEASUREMENT

 매스티안

팩토슐레 Math Lv. ③ 시리즈 소개

수 (NUMBERS)

[학습목표] 1부터 50까지의 수를 알 수 있습니다.

교재 + 교구를 활용한 APP 학습

도형 (SHAPES)

[학습목표] 다양한 모양의 ◯, △, □ 등을 알 수 있습니다.

교재 + 교구를 활용한 APP 학습

연산 (OPERATIONS)

[학습목표] 받아올림이 없는 덧셈과 뺄셈을 할 수 있습니다.

교재 + 교구를 활용한 APP 학습

측정 (MEASUREMENT)

[학습목표] 시계, 무게, 길이, 넓이 등을 알 수 있습니다.

교재 + 교구를 활용한 APP 학습

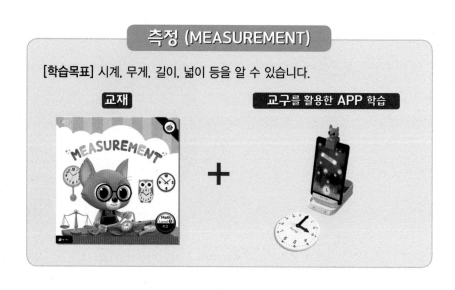

규칙 (PATTERNS)

[학습목표] 다양한 규칙을 찾을 수 있습니다.

교재 + 교구를 활용한 APP 학습

문제해결력 (PROBLEM SOLVING)

[학습목표] 다양한 유형의 문제를 해결할 수 있습니다.

교재 + 교구를 활용한 APP 학습

팩토슐레 Math Lv. ③ 교재 소개

" 우리 아이 첫 수학도 창의력을 키우는 **FACTO**와 함께! "

팩토슐레는 처음 수학을 시작하는 유아를 위한 창의사고력 전문 program입니다.

팩토슐레는 만들기, 게임, 색칠하기, 붙임딱지 붙이기 등의 다양한 수학 활동을 하면서 스스로 수학 개념을 알 수 있도록 구성되어 있습니다.

| 수 (NUMBERS) | 도형 (SHAPES) | 연산 (OPERATIONS) |
| 측정 (MEASUREMENT) | 규칙 (PATTERNS) | 문제해결력 (PROBLEM SOLVING) |

※ 팩토슐레는 6권으로 구성되어 있으며, 각 권은 30가지의 재미있는 활동을 수록하고 있습니다.

누리과정

팩토슐레는 누리과정 · 초등수학과정을 연계하여, 수학의 5대 영역(수와 연산, 공간과 도형, 측정, 규칙, 문제해결력)을 균형있게 학습할 수 있도록 하였습니다.
특히 가장 중요한 수와 연산은 각 권으로 구성하여 깊이 있는 학습이 가능하도록 하였습니다.

STEAM PLAY MATH

팩토슐레는 4, 5, 6세 연령별로 학습할 수 있도록 설계한 놀이 수학입니다. 매일매일 놀이하듯 자르고, 붙이고, 색칠하며 재미있는 30가지의 활동을 통해 창의사고력을 기를 수 있습니다.

동화책풍의 친근한 그림

팩토슐레는 동화책풍의 그림들을 수록하여 아이들이 수학을 더욱 친근하게 느끼며 좋아할 수 있도록 하였습니다. 또한 한글을 최소화하고 학습 내용을 직관적으로 이해할 수 있도록 하였습니다.

팩토슐레 Math Lv. ③ 교구·App 소개

" 수학 교육 분야 증강현실(AR)과 사물인식(OR) 기술을 국내 최초 도입 "

교구를 활용한 App 학습 프로세스

① 거치대와 반사경 설치
② App 실행
③ 교구로 문제 해결
④ 사물인식 기술을 활용하여 교구 인식
⑤ 정답과 오답 체크

자기주도학습 `팩토슐레 App만의 장점`

팩토슐레 App은 사물인식(OR) 기술을 사용하여 아이들의 학습 정보를 습득한 후, App에 프로그래밍된 학습도우미를 통하여 아이들이 문제 푸는 것을 힘들어하거나 틀릴 경우에는 힌트를 제공합니다.
이와 같은 방식의 스마트기기와의 상호작용은 학습의 효율을 높이고 자기주도학습 능력을 길러 줍니다.

완벽한 학습 설계 App `다른 교육 App과의 차별점`

팩토슐레 App은 수학 교육 목표에 맞게 완벽한 학습 설계가 되어 있습니다. 아이들은 게임 기반의 학습 App을 진행하면서 어려운 문제도 술술 풀 수 있습니다.

증강현실(AR) 기술 도입

팩토슐레 App은 아이들이 캐릭터와 사진도 찍고, 자신이 그린 그림으로 자기만의 쿠키도 만들면서 학습 몰입도를 높일 수 있습니다.

병원에 시계 친구들이 많이 있네요. 어디가 아픈 걸까요? 시계를 잘 관찰하여 아픈 **시계를** 고쳐 주세요. 붙임딱지 ❶

아파요.

아파요.

즐거운 간식 만들기 시간이에요. 친구들이 어떤 간식을 만들고 있는지 이야기해 보고, 시계를 이용하여 주어진 **시각을 만들고 읽어** 보세요.

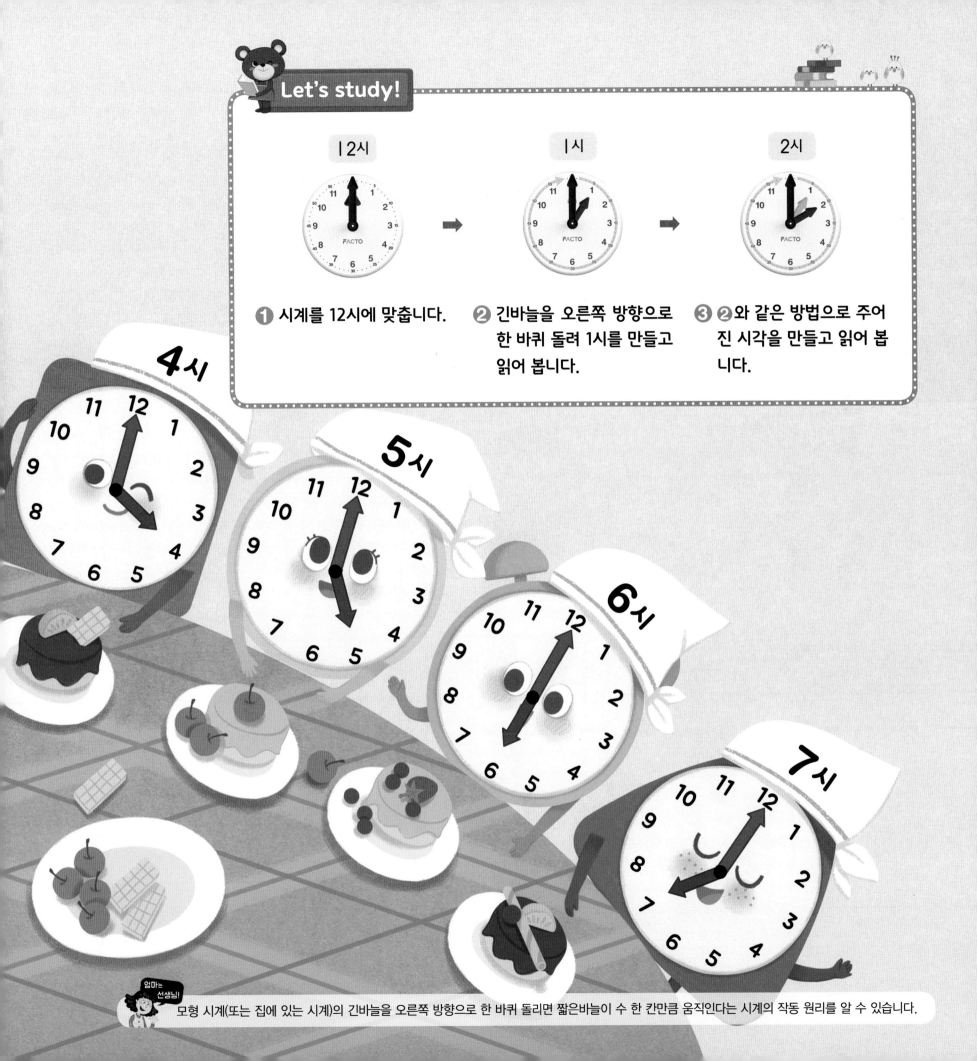

|2시 |시   2시

❶ 시계를 12시에 맞춥니다.

❷ 긴바늘을 오른쪽 방향으로 한 바퀴 돌려 1시를 만들고 읽어 봅니다.

❸ ❷와 같은 방법으로 주어진 시각을 만들고 읽어 봅니다.

4시

5시

6시

7시

03 시계 친구들이 연극을 마치고 무대에서 자기 소개를 하고 있어요. **시각을 읽어** 친구들의
이름을 알아볼까요?

친구들이 몸으로 시계를 나타내고 있어요. 친구들과 똑같이 나타내고, **시각을 읽어** 보세요.

활동지 **1**

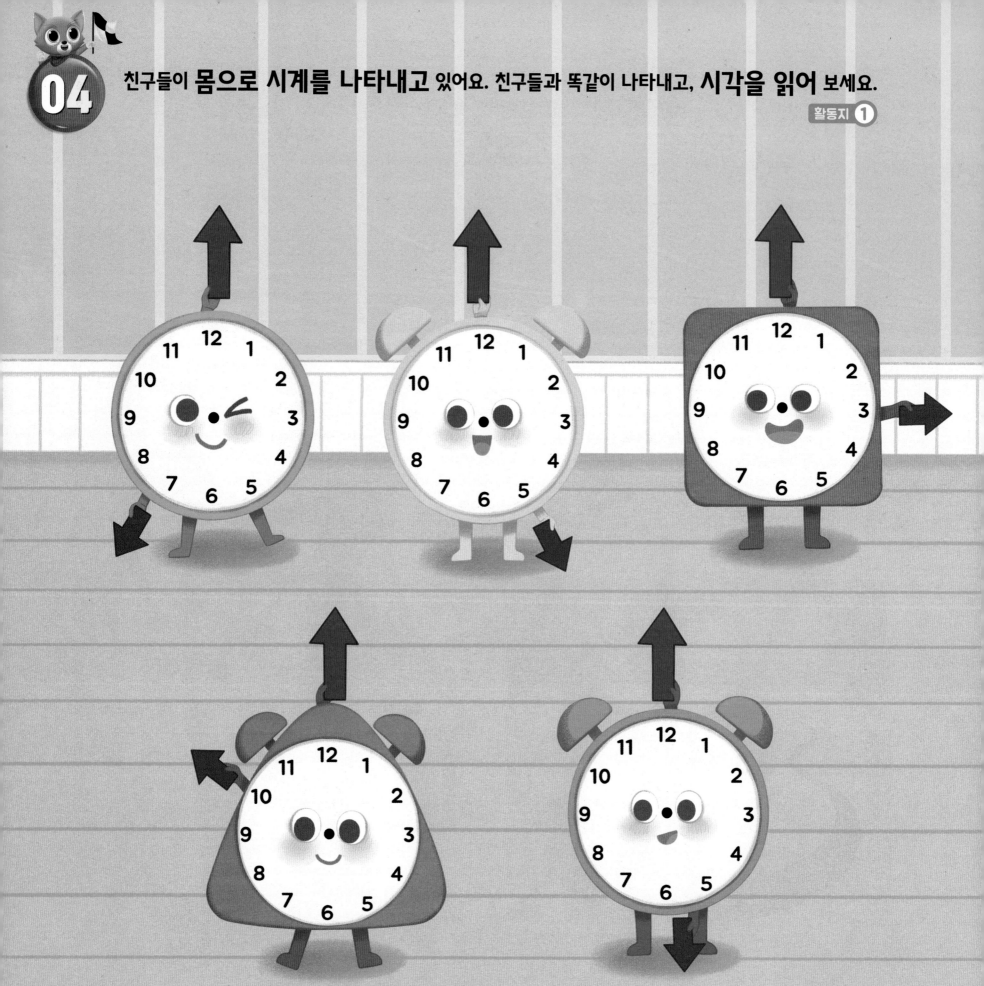

❶ 디지털 시계가 그려진 면이 보이도록 보라색
카드를 섞어 놓습니다.

❷ 카드 1장을 골라 두 사람이 동시에 두 팔로
시각을 나타냅니다.

12시를 나타내자!

12:00

❸ 카드를 뒤집어 몸으로 나타낸 시각과 카드의
시각이 같은지 서로 확인합니다.

❹ 다른 카드를 보고 시각을 나타내는 활동을
여러 번 해 봅니다.

8시!   8시!

8:00

시각을 몸으로 나타내며, 몇 시일 때 긴바늘은 12, 짧은바늘은 '몇'을 가리킨다는 것을 알 수 있게 합니다.

시계 친구가 오늘 하루 어떤 일을 했는지 알아볼까요? 시각에 맞게 **짧은바늘**을 붙이고,
몇 시에 무엇을 했는지 이야기해 보세요. 붙임딱지 ①

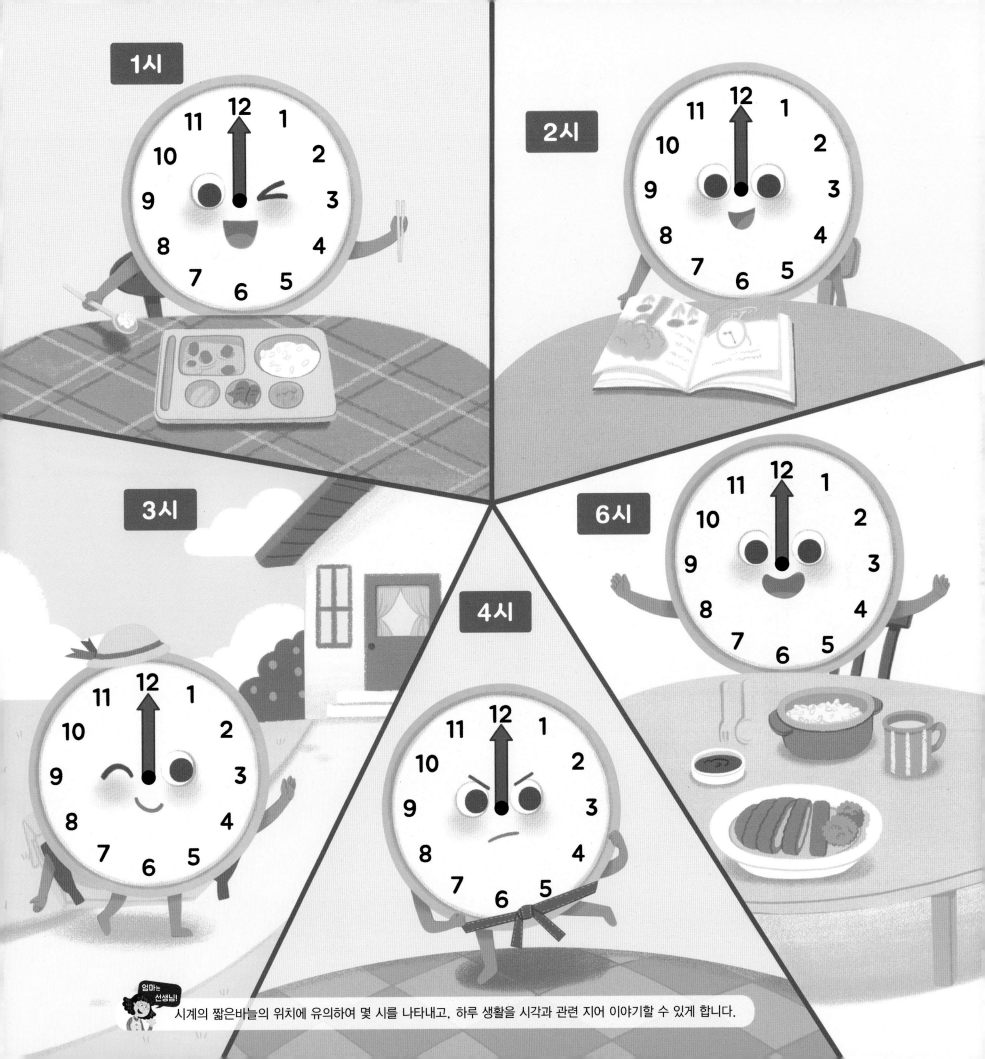

06 시계 친구들이 놀이터에서 재미있게 놀고 있네요. 어떤 놀이를 하고 있는지 이야기해 보고,
주어진 **시각을 만들고 읽어** 보세요.

Let's study!

12시	12시 30분	1시 ➡ 1시 30분

❶ 시계를 12시에 맞춥니다.

❷ 긴바늘을 오른쪽 방향으로
반 바퀴 돌려 12시 30분을
만들고 읽어 봅니다.

❸ ❷와 같은 방법으로 주어진
시각을 만들고 읽어 봅니다.

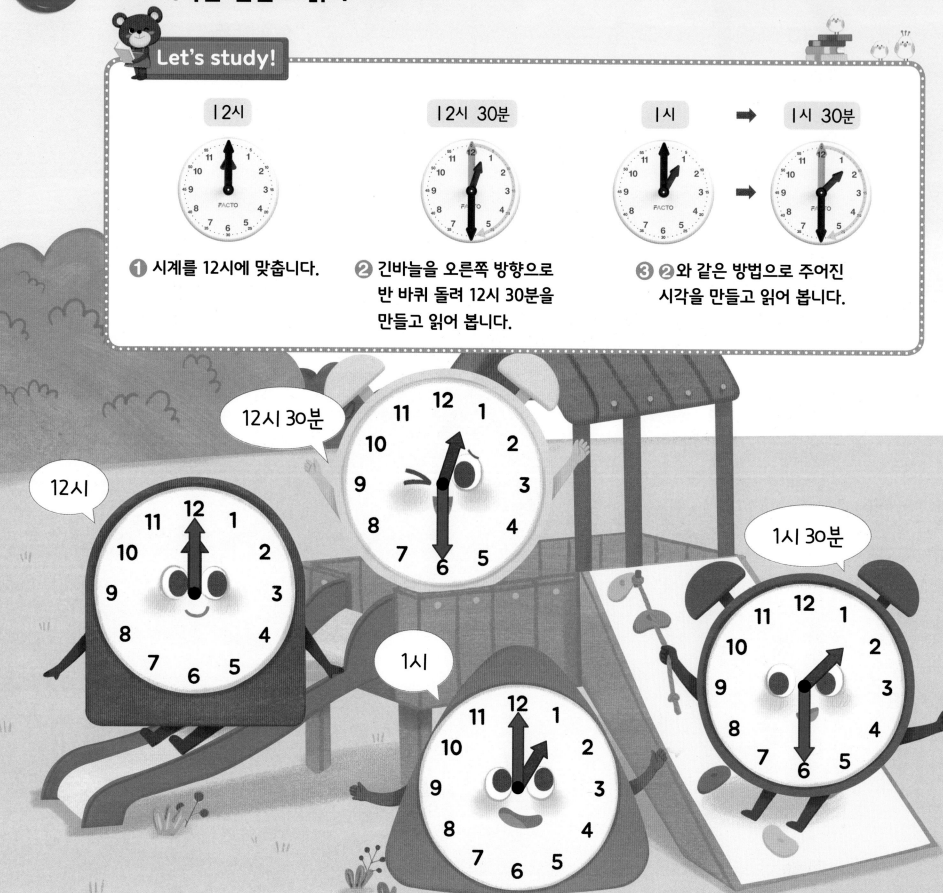

12시

12시 30분

1시

1시 30분

07 시계 친구들이 모여 생일 파티를 하고 있네요. 이번 달에 태어난 시계 친구들은 누구인지 시계의 **시각을 읽어** 빈 곳에 알맞은 수를 써넣으세요.

시 분

시 분

시 분

시 분

시 분

시 분

시 분

엄마는 선생님! 시계를 보고 '몇 시 30분'은 짧은바늘이 수와 수 사이의 가운데를 가리키고 긴바늘이 6을 가리킬 때임을 알 수 있게 합니다.

08 시계 요리사가 맛있는 쿠키를 만들었어요. 시각에 알맞은 시계 쿠키를 찾으며 재미있는 게임을 해 보세요.

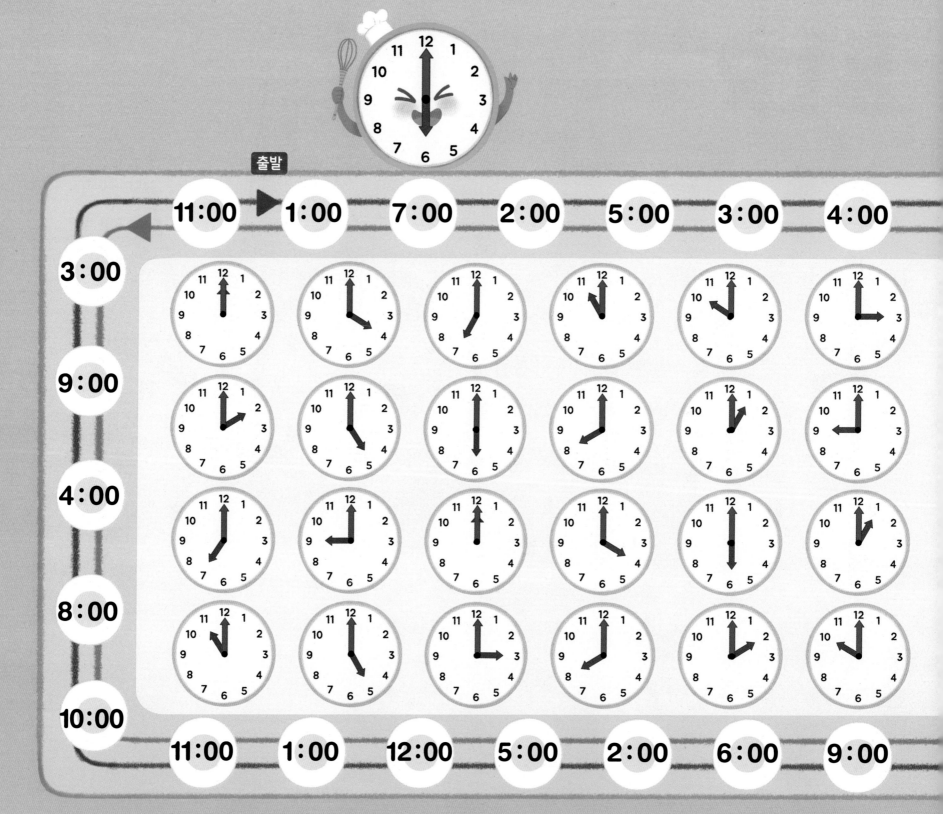

① 출발 지점에 게임말 2개를 올려놓고, 각자의 색을 정합니다.

② 서로 번갈아 가며 주사위를 굴린 후, 게임말과 같은 색의 선을 따라 주사위의 수만큼 게임말을 이동시킵니다.

③ 게임말이 도착한 칸에 적혀 있는 시각에 알맞은 시계를 찾아 자신의 칩을 놓습니다. 이때 이미 칩이 놓여 있으면 상대방에게 기회가 넘어갑니다.

④ 가로 또는 세로로 이웃하게 칩 3개를 먼저 놓은 사람이 이깁니다.

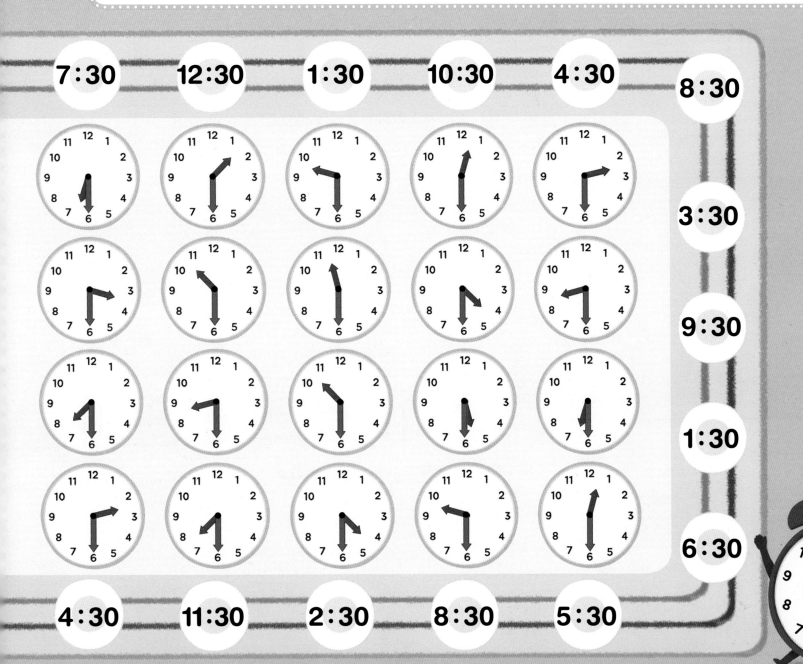

시계 친구들이 가면을 쓰고 춤을 추네요. 가면에 쓰인 **시각을 시계에 나타내고,**
놀이를 해 보세요.

Let's study!

1시 30분

1:30 →

|시

|시 30분

❶ 시각을 보고 '시'를
맞춥니다.

❷ 긴바늘을 오른쪽으로 반 바퀴 돌려
'30분'을 맞추고 읽어 봅니다.

5:00

5:30

8:00

8:30

10:00

10:30

❶ 디지털 시계가 그려진 면이 보이도록 보라색 카드와 파란색 카드를 섞어 놓습니다.

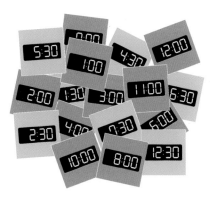

❷ 뒷면이 보이지 않도록 카드 1장을 골라 상대방에게 시각을 말하면, 상대방은 시계로 그 시각을 맞춥니다.

> 3시 30분

> 먼저 3시를 맞춰야지.

❸ 카드 뒷면의 시계와 자신이 맞춘 시계 모양이 같으면 카드를 가져갑니다.

> 맞았다!

❹ 서로 번갈아 가며 게임을 하여 카드를 많이 가져간 사람이 이깁니다.

> 이겼다!

엄마는 선생님! 시계 맞추기 놀이를 하며 '몇 시'와 '몇 시 30분'을 익힐 수 있게 합니다.

10

시계 친구들이 자신의 얼굴을 그렸네요. 멋진 시계 친구는 누구일까요? 친구들의 이름표에 적힌 시각을 보고 **시곗바늘을 알맞게 붙여** 보세요. 붙임딱지 ①

4시

4시 30분

7시

7시 30분

8시

8시 30분

11시

11시 30분

'몇 시'와 '몇 시 30분'이 될 때, 긴바늘과 짧은바늘의 위치를 바르게 나타낼 수 있게 합니다.

잔디밭에 해바라기 시계들이 있어요. 해바라기 꽃잎에 **몇** 분을 나타내는 수를 써넣으세요.

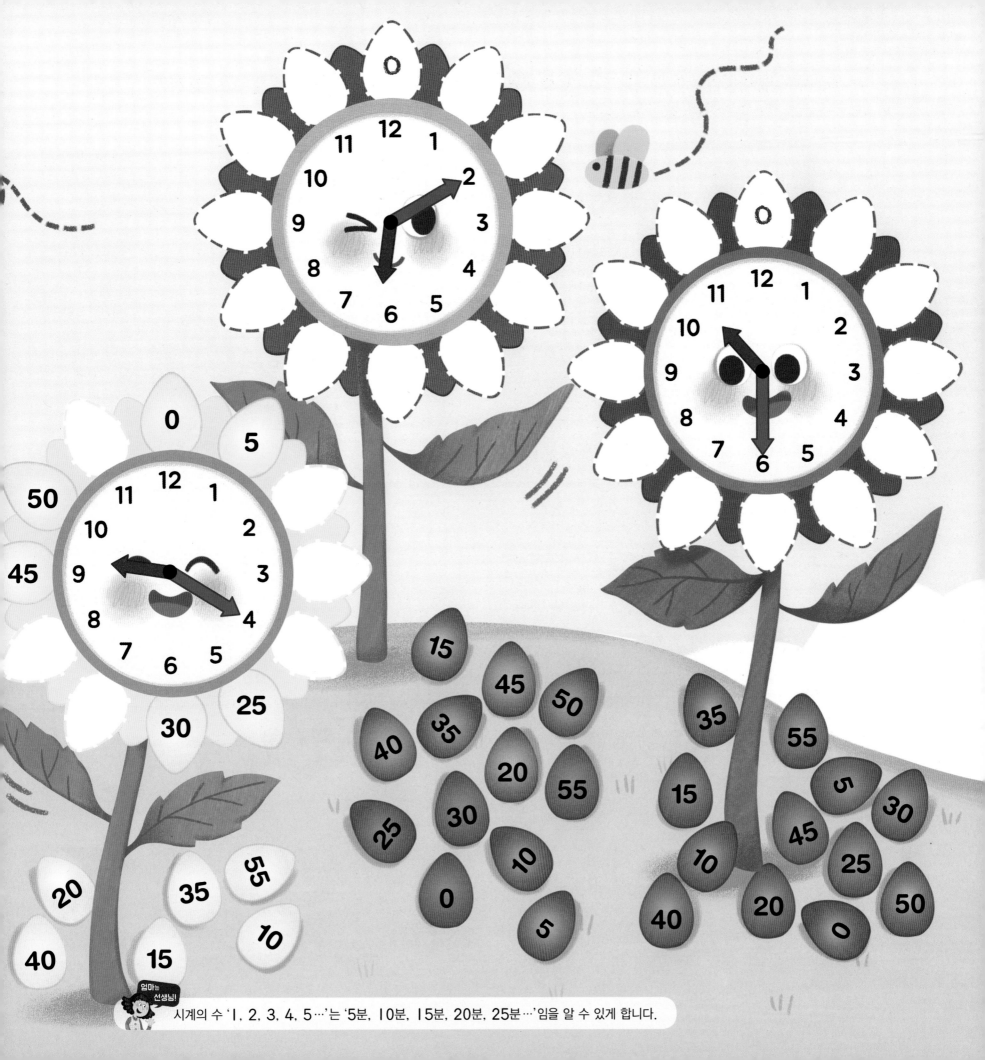

12 시계 친구가 놀이동산에서 즐거운 하루를 보냈어요. 시각에 맞게 **시계 그림**을 붙이고, 몇 시에 무엇을 했는지 이야기해 보세요.

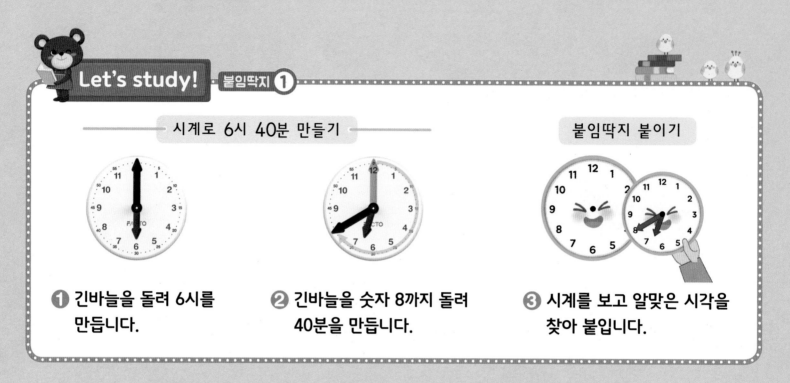

Let's study!　붙임딱지 ①

시계로 6시 40분 만들기

붙임딱지 붙이기

❶ 긴바늘을 돌려 6시를 만듭니다.

❷ 긴바늘을 숫자 8까지 돌려 40분을 만듭니다.

❸ 시계를 보고 알맞은 시각을 찾아 붙입니다.

1시 20분　놀이동산 도착

3시 50분　회전목마에서

5시 10분 사파리월드에서

6시 30분 할로윈 파티에서

8시 40분 판다 뮤지컬을 보고

10시 20분 퍼레이드에서

13 시계 친구들이 토요일에 무엇을 했는지 그림을 그렸어요. 시계의 **시각을 읽어** 알맞은 수를 써넣고, 친구들이 몇 시에 무엇을 했는지 이야기해 보세요.

☐ 시 10분

보드게임을
했어요.

☐ 시 30분

영화를 봤어요.

☐ 시 20분

수영을 했어요.

☐ 시 40분

축구를 했어요.

☐ 시 50분

바둑을 했어요.

☐ 시 30분

산에 갔어요.

☐ 시 10분

할머니 집에
갔어요.

 '몇 시 몇 분'의 시각을 읽을 때, 짧은바늘을 보고 '몇 시'를 찾는 연습을 할 수 있게 합니다.

14 시계 친구들이 재미있는 TV 영화의 시작 시간을 알려주고 있어요. 영화가 **몇 시 몇 분**에 시작하는지 **시각을 읽어** 빈 곳에 알맞은 수를 써넣으세요.

시 분

시 분

시 분

시 분

15 시계 친구들이 멋진 가면을 쓰고 사진을 찍으려고 하네요.
가면에 쓰인 시각을 시계에 나타내고 놀이를 해 보세요.

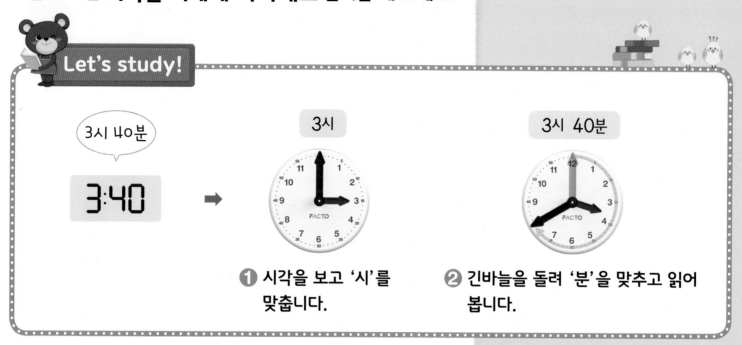

Let's study!

3시 40분

3:40 ➡

3시

❶ 시각을 보고 '시'를 맞춥니다.

3시 40분

❷ 긴바늘을 돌려 '분'을 맞추고 읽어 봅니다.

❶ 디지털 시계가 그려진 면이 보이도록 노란색
카드를 섞어 놓습니다.

❷ 뒷면이 보이지 않도록 카드 1장을 골라 시각을
상대방에게 말하면, 상대방은 시계로 그 시각을
맞춥니다.

❸ 카드 뒷면의 시계와 자신이 맞춘 시계의 모양이
같으면 카드를 가져갑니다.

❹ 서로 번갈아 가며 게임을 하여 카드를 많이 가져
간 사람이 이깁니다.

♣ 아이의 학습 난이도에 따라 보라색, 파란색, 노란색 카드를 모두 사용하여 게임을 해 봅니다.

엄마는 선생님! 10분, 20분, 30분, 40분, 50분 단위의 시각을 시계에 나타내는 연습을 할 수 있게 합니다.

친구들이 여러 가지 카드를 살펴보고 있어요. 카드의 그림 2개를 보고 **비교하는 말**을 사용하여 이야기해 보세요.

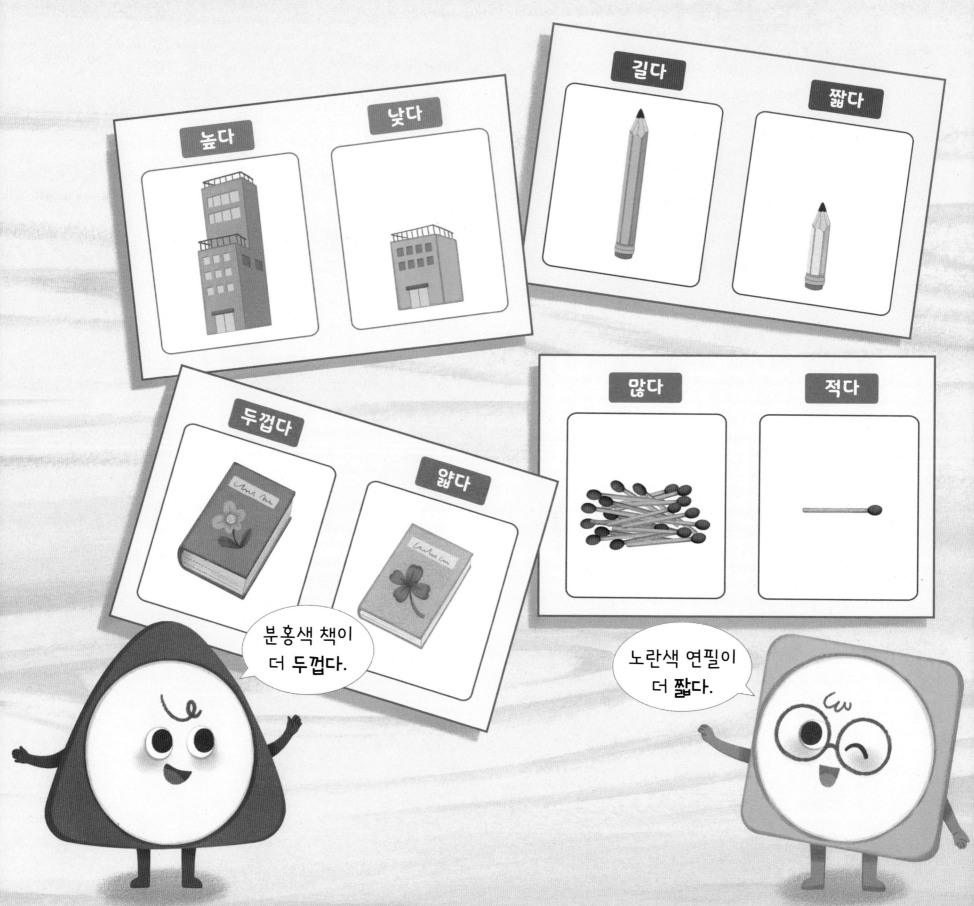

무겁다

가볍다

깊다

얕다

크다

작다

빠르다

느리다

넓다

좁다

생활 주변에 있는 물건들도 비교하는 말을 사용하여 표현할 수 있도록 합니다.

친구들이 숲속에서 재미있는 놀이를 하고 있네요. 같은 놀이를 하는 2명의 친구 중에서
더 무거운 친구를 찾아 ○표 하고, 누가 더 무거운지 이야기해 보세요.

무게를 알 수 있는 상황을 이해하고, '무겁다, 가볍다'로 표현할 수 있게 합니다.

친구들이 생각하는 물건을 저울에 올리면 저울은 어느 쪽으로 기울어질까요?
알맞은 그림을 붙여 보세요. 붙임딱지 ①

붙임딱지
붙이는 곳

붙임딱지
붙이는 곳

붙임딱지
붙이는 곳

붙임딱지
붙이는 곳

붙임딱지
붙이는 곳

붙임딱지
붙이는 곳

엄마는
선생님!
놀이기구 시소와 같이 저울도 무거운 쪽이 내려간다는 것을 알 수 있게 합니다.

19 친구들이 여러 가지 물건의 무게를 비교하고 있어요. 저울을 잘 살펴보고 친구들이 생각하는
물건 중에서 **더 무거운 물건**에 ◯표 해 보세요.

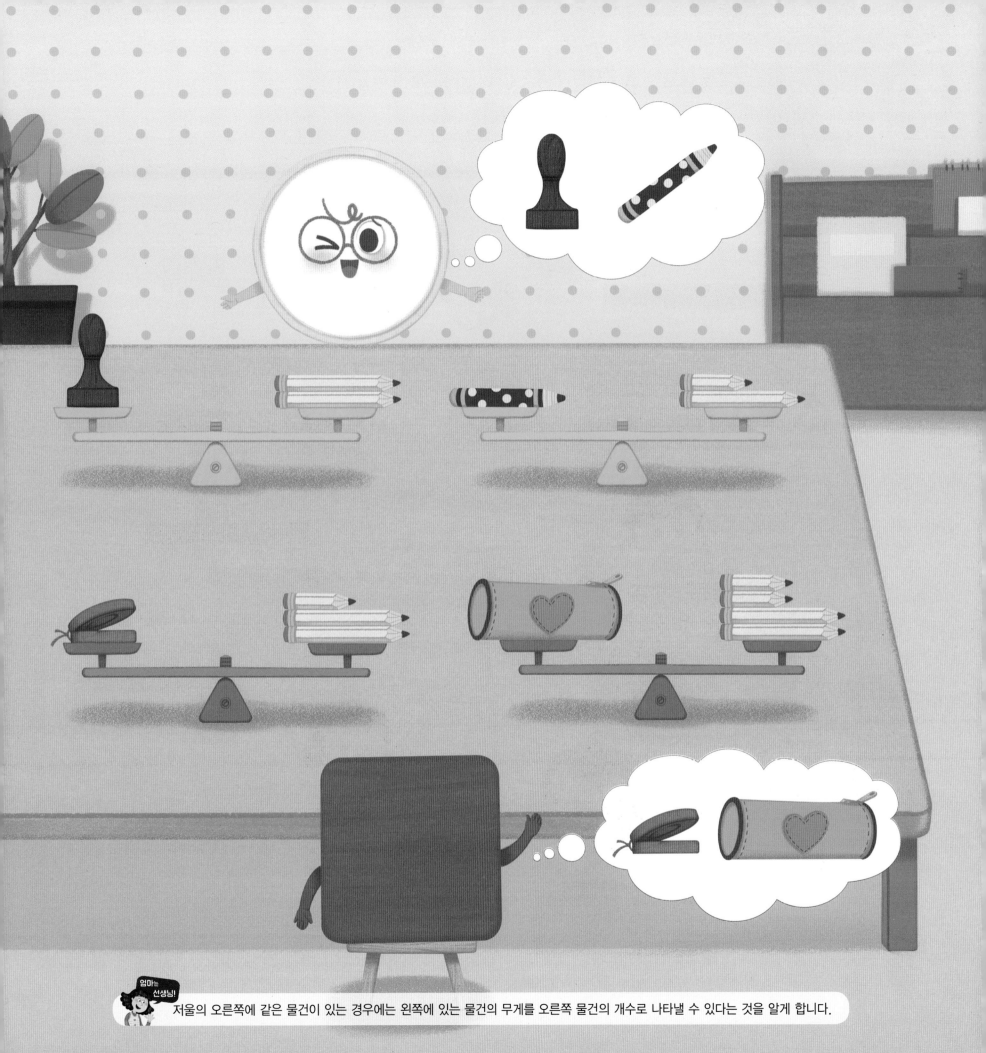

20 모빌을 만들어 무게를 비교하고, 더 **무거운** 쪽에 ◯표 해 보세요.

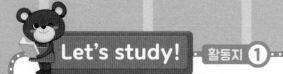

준비물

막대

새 모형(1세트)

실 20cm 1개, 8cm 2개

❶ 막대의 중앙에 실(20cm)을 묶습니다.

실이 풀어지지 않도록 단단히 묶어야 해!

❷ 막대의 홈과 새의 홈에 실(8cm)을 끼워 연결합니다.

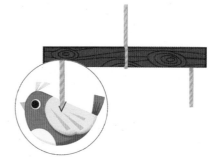

❸ 모빌을 들어 어떤 새가 더 무거운지 말해 봅니다.

어떤 새가 더 무거울까?

주황색 새가 더 무거워요!

친구들이 만든 모빌과 똑같은 모빌을 만들어 보고, 나만의 모빌을 만들어서 재미있는
모빌 놀이를 해 보세요.

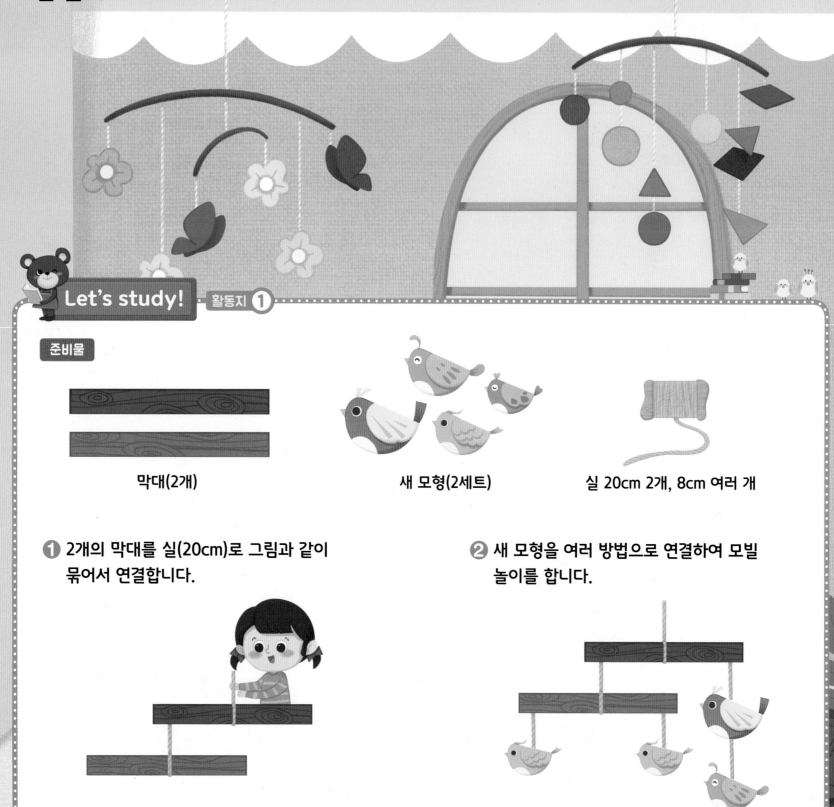

Let's study! · 활동지 ❶

준비물

막대(2개)   새 모형(2세트)   실 20cm 2개, 8cm 여러 개

❶ 2개의 막대를 실(20cm)로 그림과 같이 묶어서 연결합니다.

❷ 새 모형을 여러 방법으로 연결하여 모빌 놀이를 합니다.

동물원에 뱀들이 있어요. 세 마리의 뱀 중에 어떤 뱀이 가장 길까요?
그림과 똑같은 모양의 뱀을 만들어서 **길이를 비교**하고, **가장 긴 뱀**에 ○표 해 보세요.

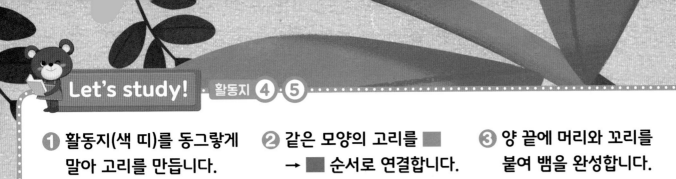

❶ 활동지(색 띠)를 동그랗게 말아 고리를 만듭니다.

❷ 같은 모양의 고리를 ■ → ■ 순서로 연결합니다.

❸ 양 끝에 머리와 꼬리를 붙여 뱀을 완성합니다.

❹ ▨에 뱀 꼬리를 놓아 뱀 3마리의 길이를 비교합니다.

뱀 놓는 곳

뱀 놓는 곳

뱀 놓는 곳

엄마는 선생님! 물건의 길이를 직접 맞대어 비교할 때에는 한쪽 끝의 시작점을 맞추어야 한다는 것을 알 수 있게 합니다.

23 친구들이 연필 5자루의 길이를 비교하려고 해요. 붙임딱지를 붙여 길이를 비교하고 **가장 긴 것부터** 순서대로 수를 써 보세요. 붙임딱지 ❶

붙임딱지 붙이는 곳

붙임딱지 붙이는 곳

서로 떨어져 있는 물건의 길이는 길이가 같은 조각을 붙여 그 조각의 개수로 길이를 비교할 수 있다는 것을 알게 합니다.

농장에 여러 가지 채소들이 자라고 있어요. 길이가 **더 긴 채소**를 찾아 ○표 하세요.

Let's study! · 활동지 ❺

❶ 어떤 채소가 더 길 것 같은지 예상하여 말합니다.

길다!

❷ 채소 옆에 활동지를 나란히 놓아 채소의 길이를 활동지에 표시합니다.

❸ 활동지에 표시된 선을 보고 채소의 길이를 비교하여 말합니다.

긴 당근!

짧은 당근!

오리와 개구리들이 연못에서 즐겁게 놀고 있어요.
가장 멀리 있는 오리와 개구리를 찾아 ○표 하세요. 활동지 ④

0 1 2 3 4 5 6 7 8 9 10 11 12

개구리 접는 방법

❶ 색종이를 반으로 접습니다.

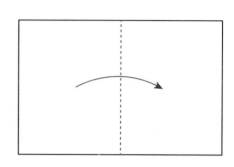

❷ 다시 반으로 접은 후 펼칩니다.

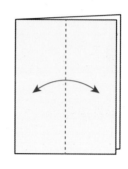

❸ 가운데에서 만나도록 반을 접습니다.

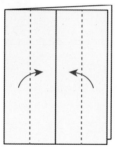

❹ 파란색 선을 따라 접습니다.

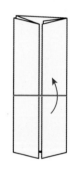

❺ 아랫부분을 반으로 접습니다.

❻ 그림과 같이 자릅니다.

❼ 윗부분의 양쪽을 접어 개구리 앞다리를 만듭니다.

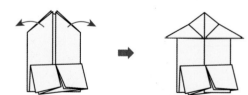

❽ 만든 모양을 뒤집어 눈을 그려 완성합니다.

❶ 개구리를 [출발] 안에 올려놓고, 엉덩이 부분을 손가락으로 눌러서
   튕깁니다.

❷ 다음 사람도 개구리를 [출발] 안에 올려놓고, 개구리를 눌러서
   튕깁니다.

❸ 개구리를 더 멀리 보낸 사람이 이깁니다. 만약 튕긴 개구리가
   뒤집어지면 게임에서 집니다.

❶ 바닥에 출발 지점과 도착 지점을 정하여 활동지를 놓습니다.

❷ 순서를 정하여 개구리를 [출발] 안에 올려놓고, 개구리를 눌러서
   튕깁니다.

❸ 서로 번갈아 가며 한 번씩 개구리를 튕겨서 개구리가 [도착] 안에
   먼저 도착하는 사람이 이깁니다.

엄마는 선생님!
길이를 비교하는 놀이를 하며 '가깝다, 멀다'라는 것을 직관적으로 알 수 있도록 합니다.

즐거운 간식 시간이에요. 친구들이 만든 간식을 겹쳐 보고 **더 넓은 것**을 찾아 ○표 해 보세요. 활동지 ⑥

두 사물을 맞대어 넓이가 더 넓은 것을 찾을 수 있다는 것을 알게 합니다.

동물원에는 여러 가지 동물들이 있어요. 우리의 넓이를 비교하여 **가장 넓은 곳**에 ○표 하세요.

가장 **넓은** 곳은?

29 초콜릿을 더 많이 넣을 수 있는 상자는 어느 것일까요? 초콜릿을 붙여 상자의 **넓이**를 **비교**하고 더 넓은 상자에 ○표 해 보세요. 활동지 ⑥

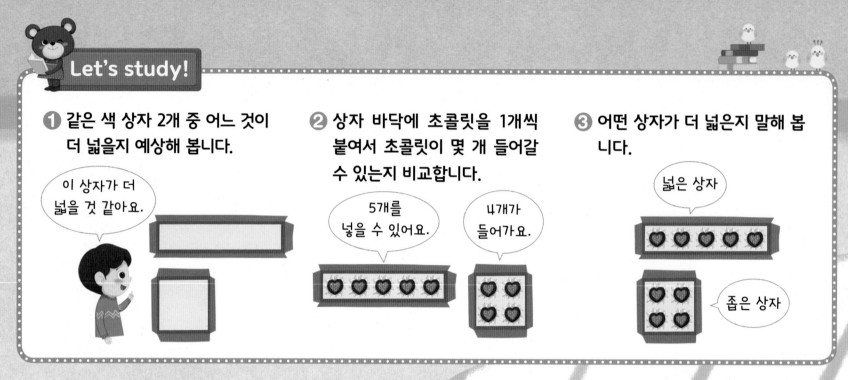

Let's study!

① 같은 색 상자 2개 중 어느 것이 더 넓을지 예상해 봅니다.

이 상자가 더 넓을 것 같아요.

② 상자 바닥에 초콜릿을 1개씩 붙여서 초콜릿이 몇 개 들어갈 수 있는지 비교합니다.

5개를 넣을 수 있어요.

4개가 들어가요.

③ 어떤 상자가 더 넓은지 말해 봅니다.

넓은 상자

좁은 상자

넓이가 같은 조각을 붙여 그 조각의 개수로 넓이를 비교할 수 있다는 것을 알게 합니다.

미술관에 **재미난 작품**들이 많이 있네요. 친구들과 함께 그림을 잘 관찰하며 이야기해 보세요.

활동지 ⑥

더 큰 사람은?

어떤 색의 점이 보일까?

더 **긴** 빨간색 세로선은?

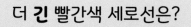

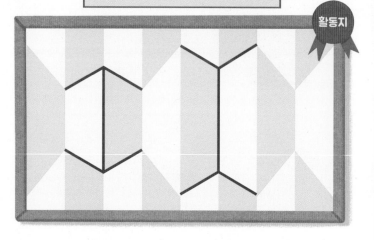

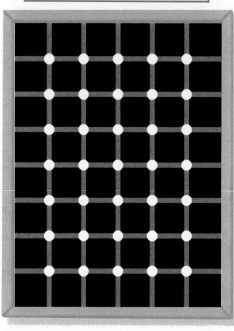

할머니일까? 공주님일까?

그림은 움직일까?

더 **큰** 오렌지는?

활동지

더 **넓은** 책상은?

활동지

착시 현상에 대한 그림을 보고 비교하는 말로 표현할 수 있도록 합니다.

MEMO

색종이를 오려서 만든 모양을 보고 더 넓은 것에 ○표 해 보세요.

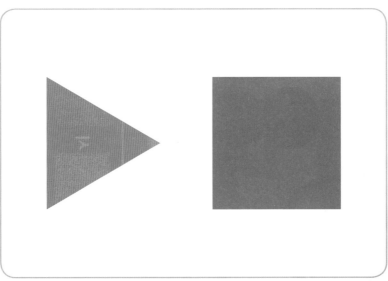

3 저울을 보고 더 무거운 과일에 ○표 해 보세요.

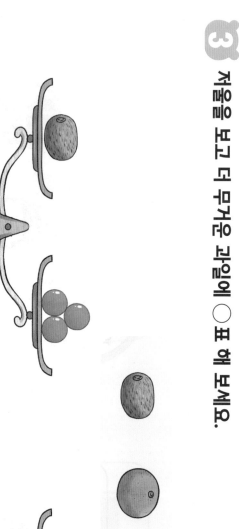

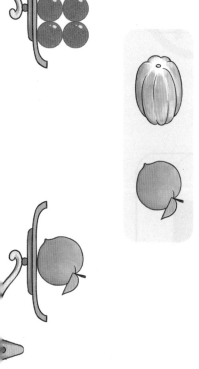

도착 출발

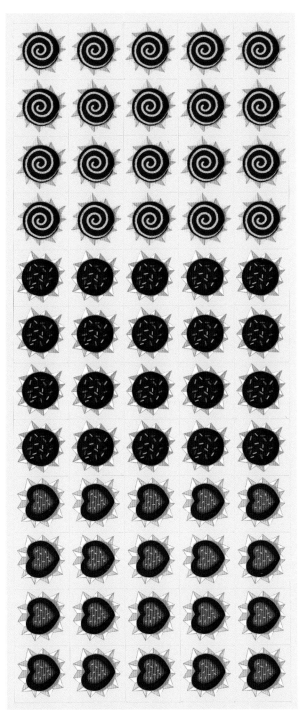

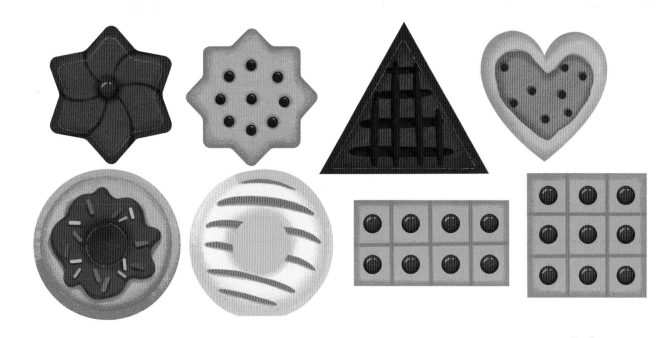

도착

출발

29

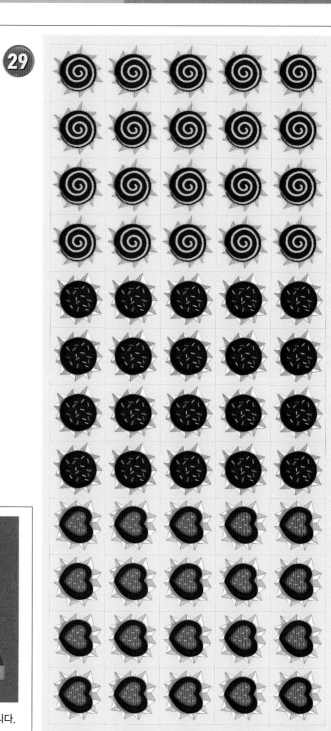

27

30

0
1
2
3
4
5

* ▯와 ▯선 옆에 대어 봅니다.

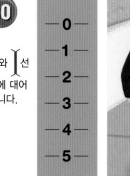

* 👤을 떼어 다른 사람에 겹쳐 봅니다.

* 🍅를 떼어 다른 🍅에 겹쳐 봅니다.

* 빨간색 책상을 떼어 왼쪽으로 90° 회전하여(↻) 초록색 책상에 겹쳐 봅니다.

22

풀칠 풀칠 풀칠 풀칠 풀칠

풀칠 풀칠 풀칠 풀칠 풀칠

풀칠 풀칠 풀칠 풀칠 풀칠

24

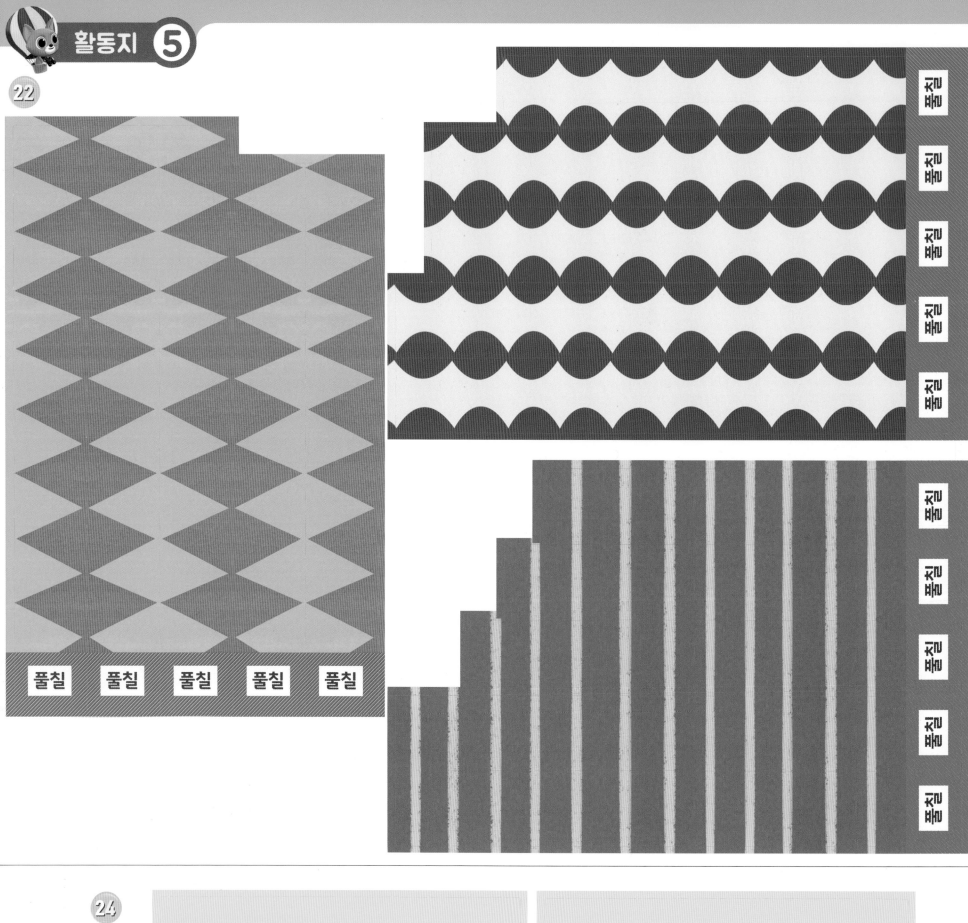

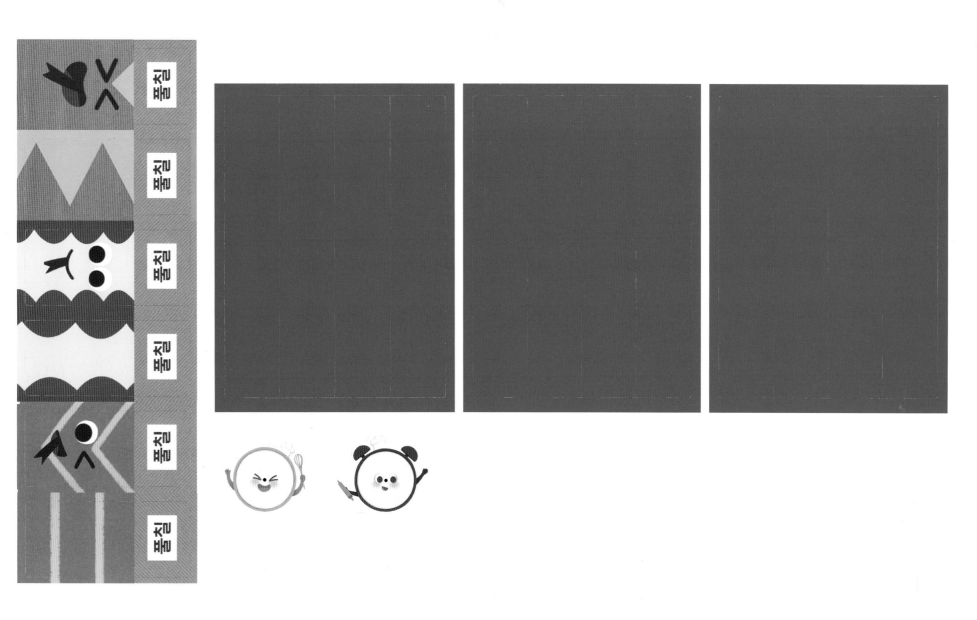

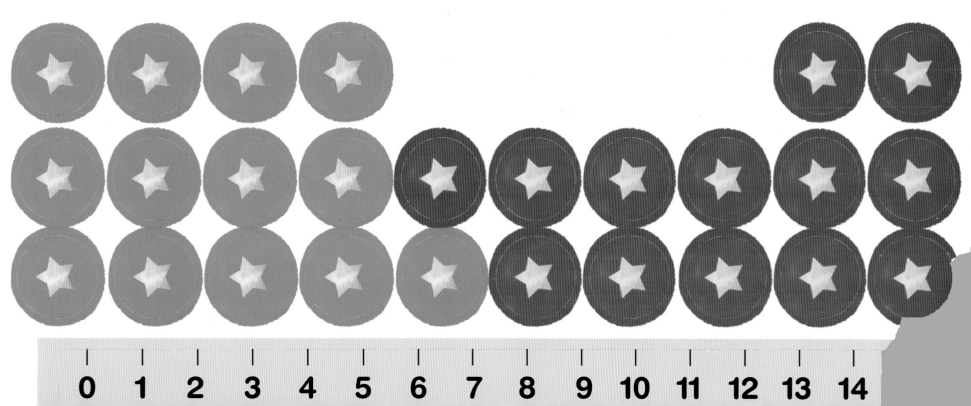

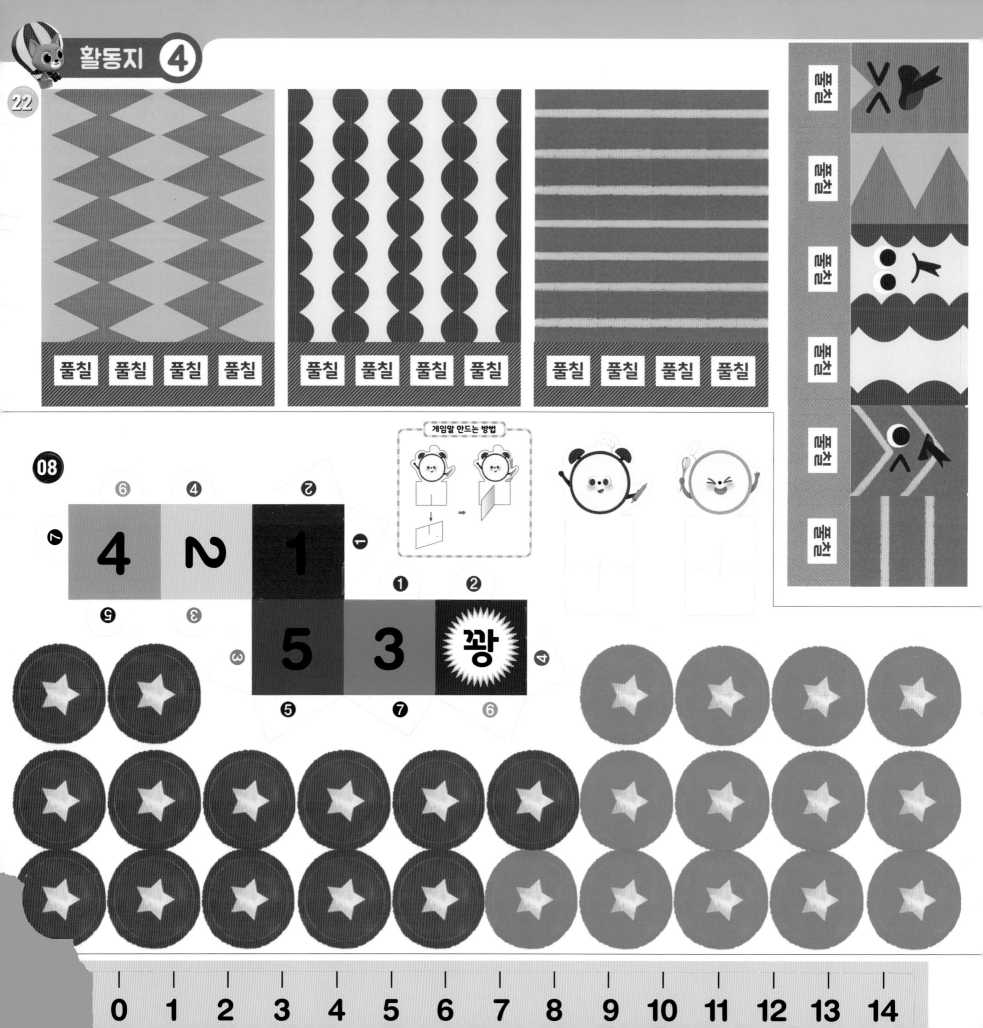

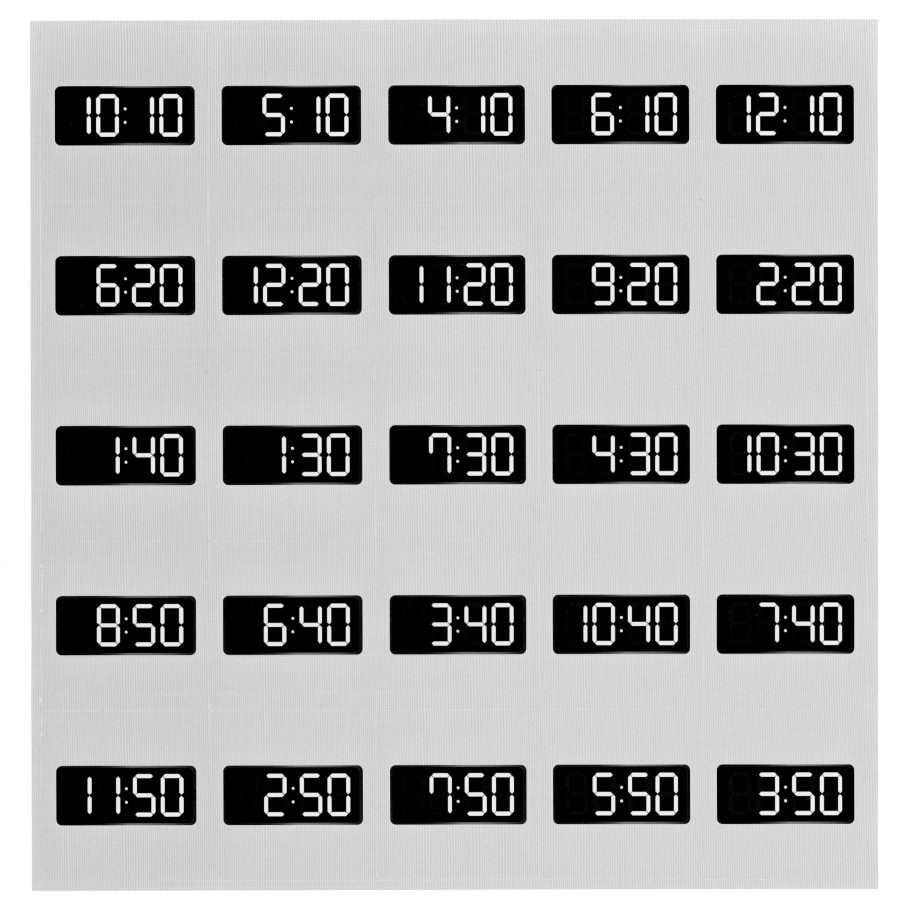

15

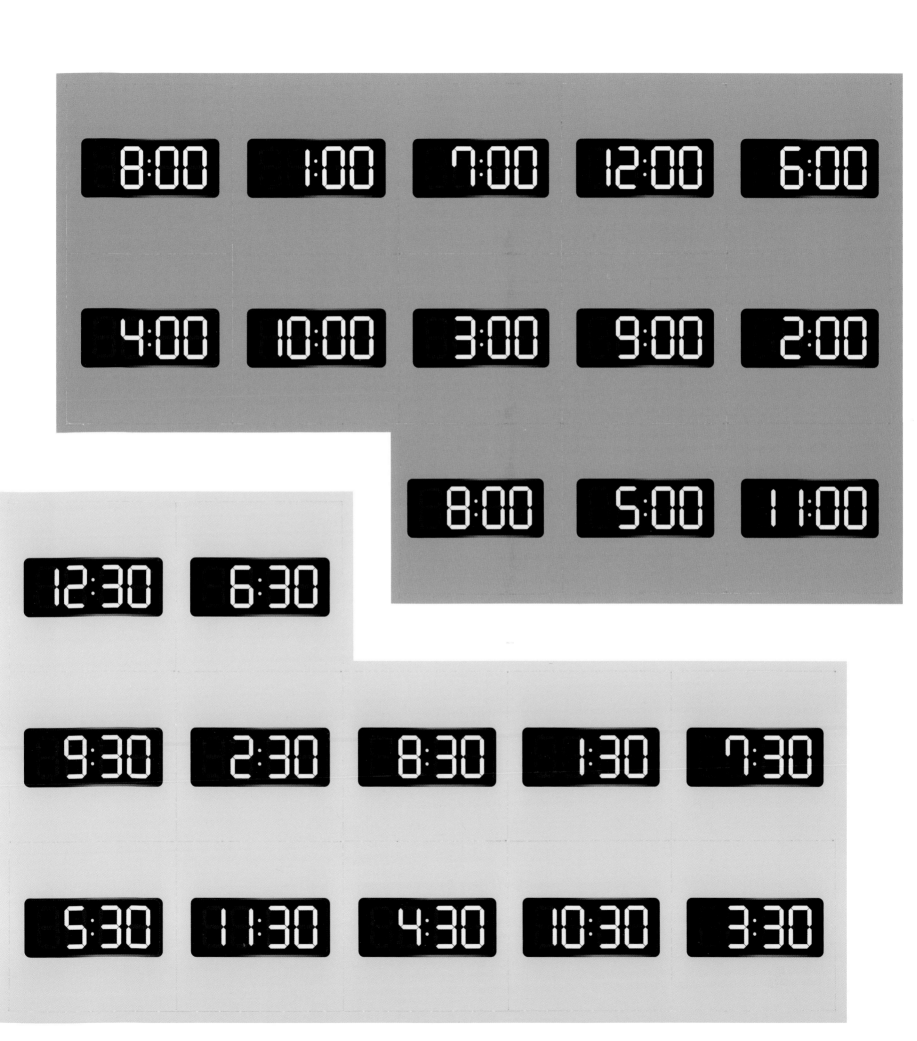

04
09

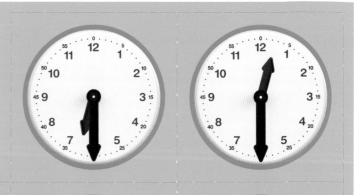

09

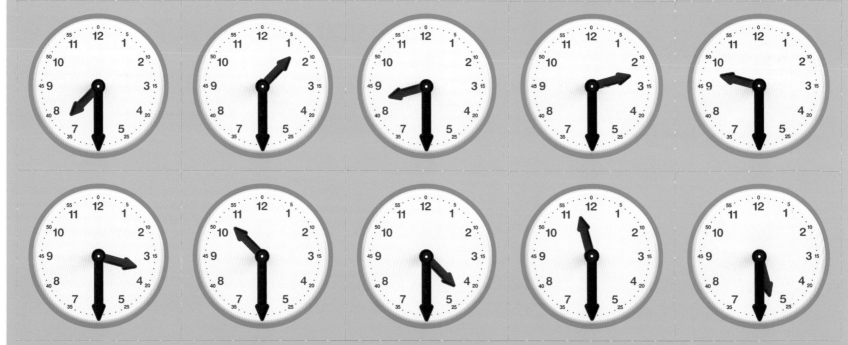

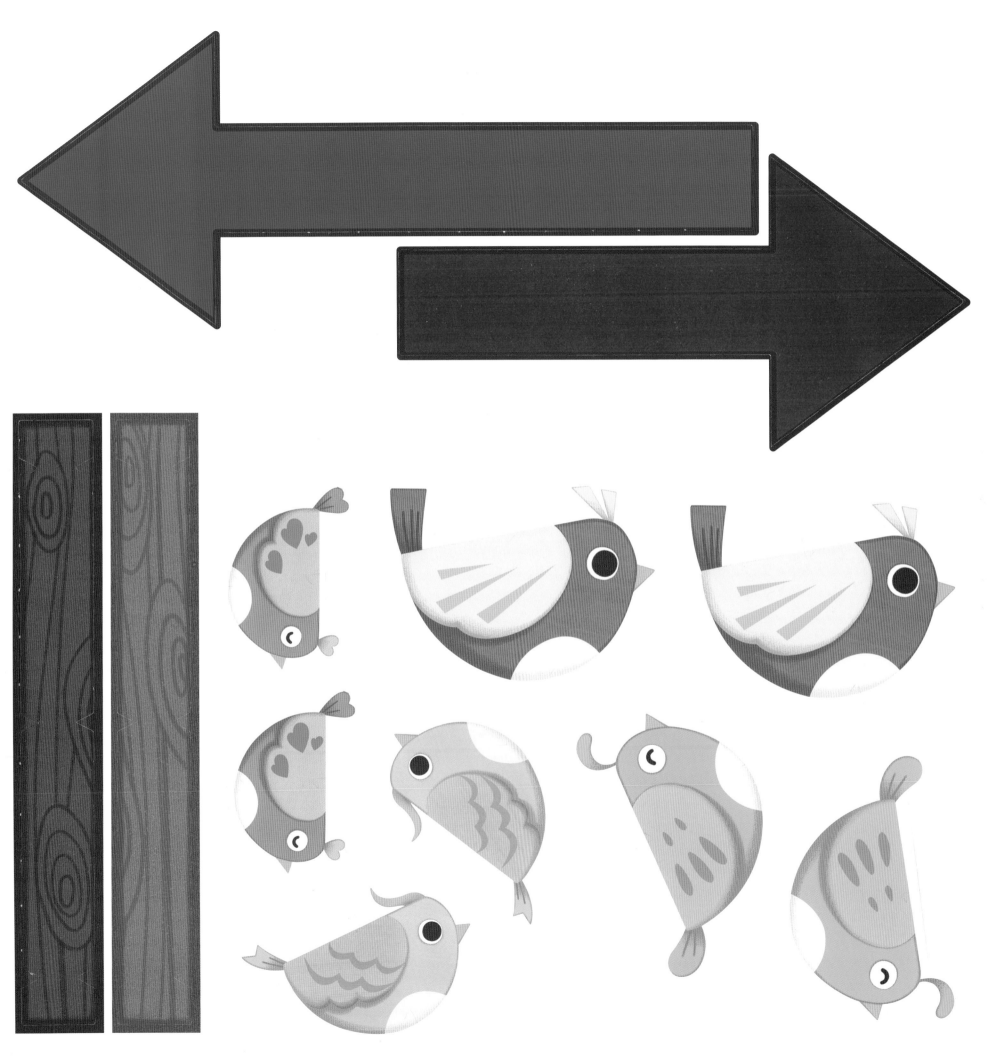

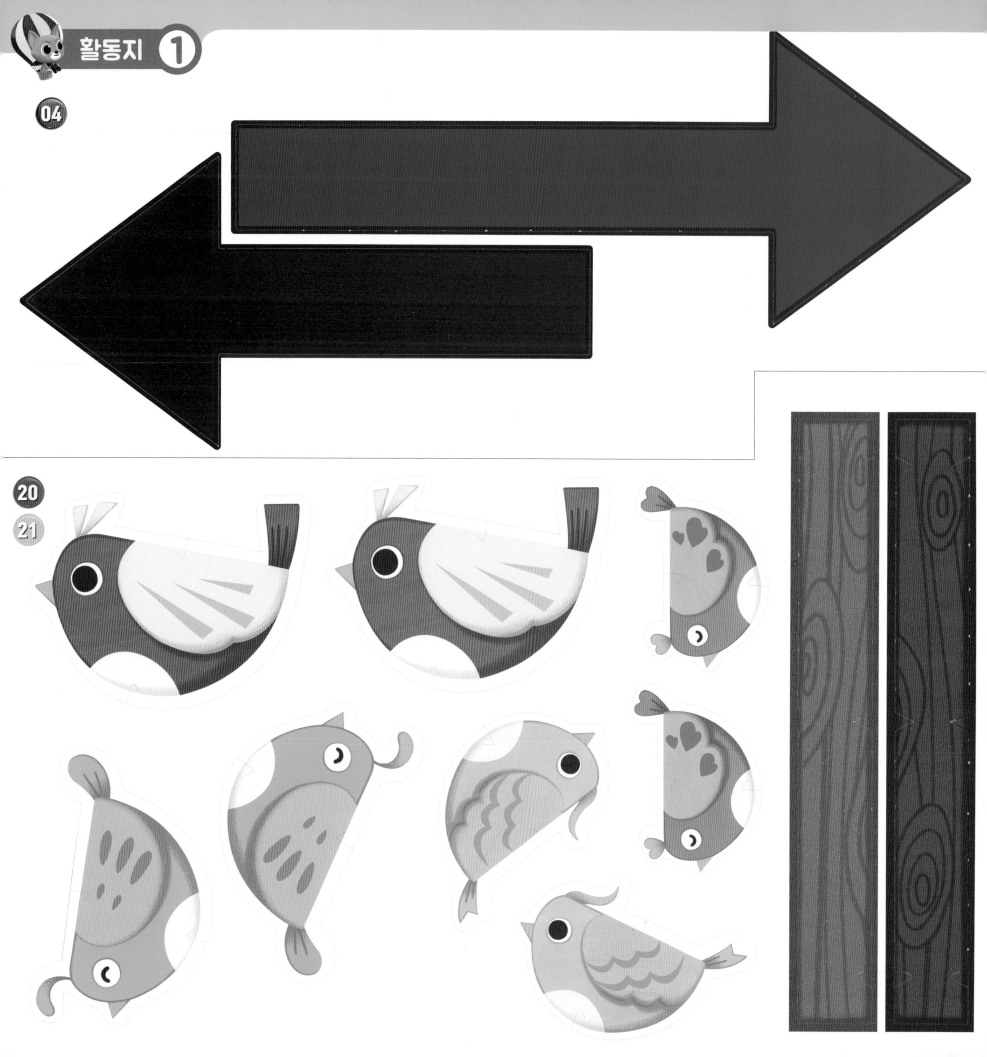